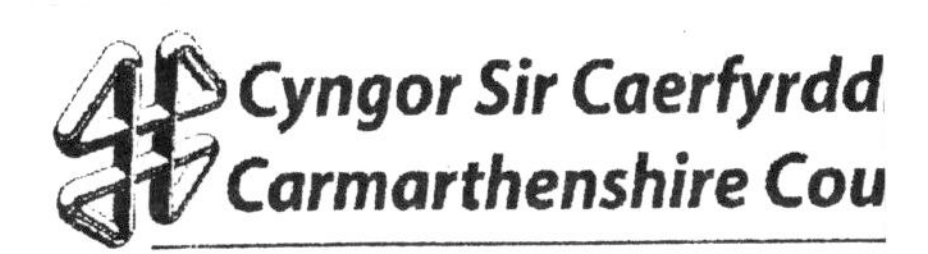

Gwasg y Dref Wen

CASÉT SAIN

Mae casét sain bellach ar gael, yng nghyfres
LLYFRAU LLAFAR Y DREF WEN,
sydd yn cyflwyno'r holl straeon yn y llyfr hwn.

Darllenydd: Eiry Palfrey

Cerddoriaeth: Mabsant

Cynnwys

Map 4
Madog ac America 5
Llyn Tegid 7
Y Ferch o Gefn Ydfa 9
Siôn Cwilt 11
Guto Nyth Brân 13
Ŵyn Bach Melangell 16
Blodeuwedd 18
Llyn y Fan Fach 21
Branwen 23
Owain Glyndŵr a Syr Lawrens Berclos 26
Geirfa 29

Caergybi
Bangor
Caernarfon
GWYNEDD
Mur Castell
CLWYD
Wrecsam
Y Bala
Llansilin
Sycharth
Llyn Tegid
Pennant Melangell
Llanfyllin
Amwythig
Machynlleth
Y Drenewydd
Aberystwyth
POWYS
Ceinewydd
Cwmtydu
DYFED
Llandysul
Llanddeusant
Llyn y Fan Fach
Caerfyrddin
Merthyr
GWENT
Aberdâr
Llanwynno
Abertawe
Pontypridd
Bedwas
Casnewydd
Llangynwyd
Caerffili
Castell Coety
Caerdydd
GORLLEWIN
MORGANNWG
MORGANNWG
GANOL
DE
MORGANNWG
CYMRU

1
Madog ac America

Who discovered America? Columbus, according to some. Or Leif Eiriksson. But Wales also has its claimant, according to an old legend (which is almost certainly untrue!): namely Madog, son of Owain Prince of Gwynedd, about the year 1180. This is his story . . .

Cymro ydy Madog. Mae e'n byw yng Ngwynedd, ac yn fab i Owain Tywysog Gwynedd. Mae e'n hoffi'r môr a llongau.

Yn amser Madog mae llawer o ymladd yng Ngwynedd. Dydy Madog ddim yn hoffi ymladd; mae e eisiau byw mewn heddwch. Felly mae e a rhai o'i gyfeillion yn penderfynu gadael Gwynedd a mynd i Iwerddon i fyw.

Un bore mae Madog yn hwylio. Ar y dechrau mae'r tywydd yn braf, ond cyn hir mae gwynt cryf yn codi. Mae'r gwynt yn chwythu'n galed iawn, ac mae'n cario'r llongau heibio i Iwerddon ac allan i'r môr mawr.

Mae Madog a'i gyfeillion yn hwylio am naw mis heb weld tir, ond o'r diwedd maen nhw'n cyrraedd gwlad newydd – America. Does neb o Gymru na Lloegr chwaith wedi bod yno o'r blaen. Ond mae rhai pobl yn byw yno'n barod – yr Indiaid Cochion. Mae'r Cymry a'r Indiaid Cochion yn dod yn gyfeillion mawr.

Mae Madog yn hoffi'r wlad newydd. Mae'r tywydd yn braf ac mae'r bwyd yn dda, a does dim ymladd yno. Mae e'n penderfynu mynd yn ôl i Gymru i chwilio am bobl eraill i ddod i America i fyw.

Mae llawer o'r Cymry eisiau mynd gyda Madog i'r wlad newydd. Un bore mae tair ar ddeg o longau yn gadael Gwynedd i hwylio dros y môr mawr – a does neb yng Nghymru yn clywed am Madog na'r llongau wedi hynny.

Did Madog reach America a second time? Nobody knows. During the last century there were stories of a tribe of Welsh-speaking Indians in North America – but no-one has been able to find them since.

Cymro (Cymry) g. *Welshman*
mab (meibion) g. *son*
tywysog (-ion) g. *prince*
môr (moroedd) g. *sea*
llong (-au) b. *ship*
amser g. *time*

Dyma gerdd am Madog.

Llongau Madog

Wele'n cychwyn dair ar ddeg
O longau bach ar fore teg;
Wele Madog ddewr ei fron
Yn gapten ar y llynges hon.
Mynd y mae i roi ei droed
Ar le na welodd dyn erioed;
Antur enbyd ydyw hon,
Ond Duw a'i deil o don i don.

Ceiriog

Ymarferion

1. Pam *(why)* mae Madog yn gadael Cymru?
2. Sut mae Madog yn mynd i America?
3. Pam mae Madog yn hoffi America?
4. Ydych chi eisiau mynd i America? Pam?
5. Ysgrifennwch frawddegau'n cynnwys y geiriau yma *(Write sentences containing these words)*: amser; eisiau; penderfynu; llongau; heb.
6. Gwnewch eiriau cywir allan o'r llythrennau yma *(Make proper words out of these letters)*: dalec; dwgal; ddewyn; ilchiow; plub.
7. Tynnwch lun *(draw a picture of)* y llongau'n mynd i America.
8. *Draw a map showing the following countries:* Cymru, yr Alban, Lloegr, Iwerddon.
9. *Make a strip-cartoon of Madog going to America (using match-stick figures). Write 2 sentences under each picture.*
10. *Write a log-book of one week of Madog's voyage (the most important thing is the weather!); or Madog's diary for the first week of his stay in America.*

---

ymladd *to fight*
eisiau *want*
heddwch g. *peace*
rhai *some*
cyfaill (cyfeillion) g. *friend*
penderfynu *to decide*
hwylio *to sail*
hir *long*
cryf *strong*
caled *hard*
naw *nine*
mis (-oedd) g. *month*
heb *without*
tir g. *land*
o'r diwedd *at last*
gwlad (gwledydd) b. *country*
newydd *new*
na *nor*
chwaith *either*
yno *there*
o'r blaen *before*
pobl b. *people*
yn barod *already*
Indiaid Cochion *Red Indians*
dod yn *to become*
yn ôl *back*
chwilio am *to search for*
eraill *other (pl.)*
tair ar ddeg *thirteen*
wedi hynny *after that*

2
Llyn Tegid

Near the town of Bala in Gwynedd is a large lake known as Llyn Tegid *or Bala Lake. As with many lakes, both in Wales and other countries, an ancient story explains how it came into existence . . .*

Mewn dyffryn mawr yng Ngwynedd mae brenin drwg yn byw. Mae e'n gyfoethog iawn, ond mae'n greulon wrth bawb.

O gwmpas y dyffryn mae mynyddoedd uchel yn codi, fel basn mawr.

Un dydd, wrth gerdded yn yr ardd, mae'r brenin yn clywed llais bach yn sibrwd: "Dial a ddaw! Dial a ddaw!"

"Dial?" ebe'r brenin. "Twt lol!" Mae e'n chwerthin yn braf ac yn mynd yn ôl i'r palas.

Ymhen amser mae'r brenin creulon yn cael ŵyr bach, ac mae e'n penderfynu cynnal gwledd yn y palas i ddathlu. Mae hi'n wledd ardderchog, a phob brenin a brenhines, pob tywysog a thywysoges yn y wlad yno. Mae pawb yn dawnsio ac yn canu, ac mae hen delynor yn dod i ganu'r delyn.

Tua hanner nos mae'r dawnsio yn gorffen, ac mae'r hen delynor yn eistedd mewn cornel i orffwys. Yn sydyn mae e'n clywed llais bach yn sibrwd: "Dial a ddaw! Dial a ddaw!" Mae e'n edrych i fyny a gweld aderyn bach yn hofran uwch ei ben. Dyma'r aderyn bach yn hedfan allan i'r ardd, a'r telynor yn dilyn. Maen nhw'n mynd trwy'r ardd, allan i'r caeau ac i fyny'r mynydd uchel, a'r aderyn bach yn sibrwd "Dial a ddaw!" o hyd.

O'r diwedd maen nhw'n cyrraedd pen y mynydd, ac mae'r hen delynor wedi blino'n lân. Dydy e ddim yn gallu clywed yr aderyn bach nawr, dim ond sŵn afon fach yn y tywyllwch. Mae e'n gorwedd yn y grug ac yn mynd i gysgu.

Bore trannoeth mae e'n deffro ac yn cychwyn yn ôl i'r palas i nôl y delyn. Mae e'n edrych i lawr ar y dyffryn. Ond beth sy wedi digwydd? Dydy'r palas ddim yno – a dydy'r dyffryn ddim yno chwaith! Does dim byd yno – dim ond dŵr. Mae'r palas wedi diflannu dan lyn mawr, ac yno ar wyneb y llyn mae'r delyn yn nofio.

Dyma gân am y Bala.

Ffarwél i blwy' Llangywer

Ffarwél i blwy' Llangywer
A'r Bala dirion deg,
Ffarwél fy annwyl gariad –
Nid wyf yn enwi neb.
Rwy'n mynd i wlad y Saeson
A'm calon fel y plwm,
I ddawnsio o flaen y delyn
Ac i chwarae o flaen y drwm.

Hen bennill

---

dyffryn (-noedd) g. *valley*
brenin (brenhinoedd) g. *king*
cyfoethog *rich*
creulon (wrth) *cruel (to)*
pawb *everybody*
o gwmpas *around*
fel *like*
wrth gerdded *while walking*
gardd (gerddi) b. *garden*
llais (lleisiau) g. *voice*
sibrwd *to whisper*
dial g. *vengeance*
ebe *says*
twt lol! *nonsense!*
chwerthin *to laugh*
yn braf *heartily*
palas (-au) g. *palace*
ymhen amser *after a time*
ŵyr g. *grandson*
cynnal *to hold (an event)*
gwledd (-oedd) b. *feast*
dathlu *to celebrate*
ardderchog *excellent*
pob *every*
brenhines (breninesau) b. *queen*
tywysoges (-au) b. *princess*
dawnsio *to dance*
telynor (-ion) g. *harpist*
telyn (-au) b. *harp*
canu'r delyn *to play the harp*
tua hanner nos *about midnight*
tua *about (of time)*
cornel (-au) b. *corner*
gorffwys *to rest*
yn sydyn *suddenly*
hofran *to hover*
uwch ei ben *above his head*
dilyn *to follow*
cae (-au) g. *field*
o hyd *continually*
pen y mynydd *mountain-top*
wedi blino'n lân *tired out*
gallu *to be able to*
dim ond *only*
sŵn (synau) g. *sound*
afon (-ydd) b. *river*
tywyllwch g. *darkness*
grug ll. *heather*
trannoeth *the following day*
bore trannoeth *the following morning*
deffro *to wake up*
nôl *to fetch*
digwydd *to happen*
dŵr g. *water*
diflannu *to disappear*
llyn (-noedd) g. *lake*
wyneb (-au) g. *face; surface*
nofio *to swim; to float*

Ymarferion

1. Chwiliwch am y Bala a Llyn Tegid ar y map (td. 4).
2. Sut ddyn ydy'r brenin?
3. Pam mae'r brenin yn cynnal gwledd?
4. Ble mae'r telynor yn mynd ar ôl gadael y wledd?
5. Beth mae'r telynor yn ei wneud ar ôl cyrraedd pen y mynydd?

6. Ysgrifennwch frawddegau'n cynnwys y geiriau yma: tua; wrth gerdded; ardderchog; dim ond; gallu; diflannu.
7. Gwnewch eiriau cywir allan o'r llythrennau yma: ddwgel; gsywoffr; nerbin; nadhef; fferod.
8. Tynnwch lun y palas yn diflannu dan y llyn.
9. *Make a strip-cartoon (with match-stick figures) of the story of Llyn Tegid. Under each picture write a brief description of what is happening.*
10. *Imagine that you are one of the princes or princesses at the feast – and that you too escape from the flood. Describe what happened at the feast and how you escaped.*

3
Y Ferch o Gefn Ydfa

Virtually all we know about Ann Thomas, "The Maid of Cefn Ydfa", is that she was baptised on 5th August 1704, married Anthony Maddocks on 5th July 1725, died on 16th June 1727, and is buried in the church of Llangynwyd in Mid Glamorgan. But over the years her name became linked with that of the poet Wil Hopcyn, and with a story of tragic love . . .

Mae Ann Thomas yn byw yn Llangynwyd, mewn tŷ mawr o'r enw Cefn Ydfa.

Un dydd mae dyn ifanc o'r enw Wil Hopcyn yn dod i Gefn Ydfa. Gweithiwr tlawd ydy Wil, ac mae e wedi dod i roi to gwellt newydd ar y tŷ. Mae e'n canu'n hyfryd wrth weithio.

Mae Ann yn clywed y canu. Mae hi'n edrych allan trwy'r ffenestr, ac yn gweld Wil ar y to. Mae Wil yn troi ac yn gweld Ann, ac yn wir mae'r ddau yn syrthio mewn cariad yn y fan a'r lle.

Ond dydy mam Ann ddim yn hoffi Wil; dim ond gweithiwr tlawd ydy e, ac mae Ann yn ferch gyfoethog. A beth bynnag, mae Ann yn mynd i briodi dyn arall – dyn cyfoethog iawn – o'r enw Anthony Maddocks.

Ond mae Wil ac Ann mewn cariad. Maen nhw'n cyfarfod yn y coed wedi nos. Mae Ann yn ysgrifennu llythyron at Wil, ac yn danfon morwyn i ddodi'r llythyron mewn hen goeden wag; wedyn mae Wil yn dod yn ddistaw bach i nôl y llythyron.

Yna mae rhywun yn dweud wrth fam Ann. Mae'r fam yn cadw

Ann yn y tŷ, ac mae hi'n cuddio'r papur a'r inc. Ond dydy hi ddim yn gallu atal Ann a Wil. Mae Ann yn ysgrifennu llythyr ar ddeilen sycamorwydden â'i gwaed ei hun.

O'r diwedd mae'r fam yn danfon y forwyn i ffwrdd. Nawr does neb yn cario llythyron Ann i'r goeden. Mae'r cyfan ar ben, ac mae Ann yn gorfod priodi Anthony Maddocks. Yn y briodas mae hi'n dawel ac yn llwyd. Cyn bo hir mae hi'n sâl iawn. Mae Maddocks yn talu meddyg da, ond does dim byd yn gallu gwella Ann; mae hi'n mynd yn wannach a gwannach. Dydy hi ddim yn gallu byw heb Wil Hopcyn.

Ar ei gwely angau mae Ann yn galw am Wil. Mae e'n dod, ac mae Ann yn marw – ym mreichiau Wil Hopcyn.

In Llangynwyd you can see a memorial to Ann Thomas, with a sycamore leaf carved on the stone. Wil Hopcyn is said to have written for Ann the words of one of the loveliest Welsh songs: Bugeilio'r Gwenith Gwyn – *Watching the White Wheat.*

---

o'r enw *by the name of*
gweithiwr (gweithwyr) g. *worker*
tlawd *poor*
to (toeau) g. *roof*
to gwellt *thatched roof*
hyfryd *lovely, sweet*
gweithio *to work*
yn wir *indeed*
syrthio *to fall*
cariad g. *love*
yn y fan a'r lle *on the spot*
beth bynnag *anyway*
priodi *to marry*
cyfarfod (â) *to meet*
coed ll. *wood*
llythyr (-on) g. *letter*
danfon *to send*
morwyn (morynion) b. *maid*
coeden wag *hollow tree*
wedyn *then*
yn ddistaw bach *quietly and secretly*
cadw *to keep*
cuddio *to hide*
deilen (dail) b. *leaf*
deilen sycamorwydden *sycamore leaf*
â'i gwaed ei hun *with her own blood*
i ffwrdd *away*
mae'r cyfan ar ben *it's all over*
gorfod *to have to*
priodas (-au) b. *wedding*
llwyd *grey, pale*
sâl *ill*
meddyg (-on) g. *doctor*
gwella *to cure*
mynd yn wannach ac yn wannach *to get weaker and weaker*
ar ei gwely angau *on her death bed*
marw *to die*
ym mreichiau Wil *in Wil's arms*

Ymarferion

1. Chwiliwch am Langynwyd ar y map o Gymru.
2. Pam mae Wil Hopcyn yn dod i Gefn Ydfa?
3. Dydy mam Ann ddim yn hoffi Wil. Pam?
4. Sut mae Ann yn danfon llythyron at Wil?
5. Pam mae Ann yn marw?
6. Ysgrifennwch frawddegau'n cynnwys y geiriau yma: o'r enw; beth

bynnag; cyfarfod; wedyn; yn y fan a'r lle; priodi.

7. Gwnewch eiriau cywir allan o'r llythrennau yma: iwthegoi; adirac; ryllyth; dwalt; nymwro.
8. Tynnwch lun o Wil Hopcyn yn rhoi to gwellt newydd ar Gefn Ydfa.
9. *Make up and act a play on* Y Ferch o Gefn Ydfa.
10. *Suppose that there were women's magazines in the time of Ann Thomas, giving advice to the love-lorn as they do today. Now imagine that you are Ann or Wil, and write a letter describing your problem and asking for advice.*

Rhan o
Bugeilio'r Gwenith Gwyn

Tra fo dŵr y môr yn hallt,
  A thra fo 'ngwallt yn tyfu,
A thra fo calon dan fy mron,
  Mi fydda'n ffyddlon iti;
Dywed imi'r gwir heb gêl,
  A rho dan sêl d'atebion,
P'un ai myfi ai arall, Ann,
  Sydd orau gan dy galon.

Wil Hopcyn (?)

Ann Thomas,
y ferch o Gefn Ydfa

4
Siôn Cwilt

Between New Quay (Ceinewydd) *and Llandysul in Dyfed is an area of moorland with the curious name of Banc Siôn Cwilt. The name comes from an eccentric Englishman who lived there some two hundred years ago, and who amongst other things was an outstandingly successful smuggler . . .*

Un dydd mae Sais o'r enw Siôn yn dod i fyw ar y rhostir rhwng Ceinewydd a Llandysul yn Nyfed. Mae e'n adeiladu bwthyn bach yno mewn diwrnod a noson. "Tŷ unnos" mae pobl yn galw tŷ felly.

Sut mae Siôn yn cael yr enw "Siôn Cwilt"? Wel, mae e bob amser yn gwisgo yn dlawd iawn. Mae clytiau o bob lliw a siâp ar ei ddillad – fel cwilt. A dyna sut mae e'n cael yr enw Siôn Cwilt.

Ond mae stori arall hefyd yn esbonio'r enw. Un noson mae gwynt cryf yn chwythu to'r bwthyn i ffwrdd. Ond dydy Siôn ddim yn poeni. Mae e'n dodi cwilt y gwely ar ben y tŷ a charreg fawr ar bob cornel, i gadw'r glaw allan!

Ond, a dweud y gwir, dydy Siôn ddim yn dlawd o gwbl. Mae llawer gŵr bonheddig o Loegr yn dod i'r bwthyn bach tlawd. Wedi nos, yn y gaeaf a'r hydref, mae Siôn yn tynnu ei ddillad clytiog ac yn gwisgo fel gŵr bonheddig. Wedyn mae e'n marchogaeth gyda'i gyfeillion i lawr i lan y môr i draeth tawel Cwmtydu.

Yno maen nhw'n aros i ryw long o Ffrainc ddod i mewn. Mae Siôn yn dal lamp i fyny i ddangos y ffordd i'r llong. Mae llawer o ogofeydd o gwmpas Cwmtydu, ac yno mae cyfeillion Siôn yn cuddio. Wedyn, yn ddistaw bach, maen nhw'n helpu'r morwyr i gario casgenni o win o'r llong i'r ogofeydd. Yna mae'r llong yn hwylio i ffwrdd ac mae cyfeillion Siôn yn mynd adre.

Rhai dyddiau wedyn mae Siôn yn cario'r casgenni adre, a gwerthu'r gwin am arian mawr i'r gwŷr bonheddig yn yr ardal. Mae'r tŷ unnos yn enwog trwy'r sir fel y lle am y gwin gorau. Mae hyd yn oed siryf y sir, Syr Herbert, Ffynnon Bedr, yn prynu gwin Siôn Cwilt.

Siôn Cwilt was never arrested. It was only after he left the district that his crimes were allowed to become public knowledge. But the area where he lived is still called after him.

Sais (Saeson) g. *Englishman*
rhostir g. *moorland*
rhwng *between*
adeiladu *to build*
bwthyn (bythynnod) g. *cottage*
diwrnod (-au) g. *day*
noson (nosweithiau) b. *night*
felly *of that kind*
enw (-au) g. *name*
bob amser *always*
clwt (clytiau) g. *patch*
o bob lliw a siâp *of every colour and shape*
dillad g. *clothes*
esbonio *to explain*
poeni *to worry*
ar ben *on top of*
carreg (cerrig) b. *stone*
a dweud y gwir *to tell the truth*
o gwbl *at all*
llawer *many, many a*
gŵr (gwŷr) bonheddig g. *gentleman*
gaeaf g. *winter*
hydref g. *autumn*
tynnu (dillad) *to take off (clothes)*
clytiog *patched*
marchogaeth *to ride*
glan y môr *seaside*
aros *to wait, to stop, to stay*
rhyw *a certain*
Ffrainc *France*
dal *to hold*

dangos *to show*
ffordd (ffyrdd) b. *way*
ogof (-eydd) b. *cave*
helpu *to help*
morwr (morwyr) g. *sailor*
casgen (-ni) b. *barrel*
gwin g. *wine*
mynd adre *to go home*
rhai dyddiau wedyn *some days later*
arian mawr *a lot of money*
ardal (-oedd) b. *district*
enwog *famous*
trwy'r sir *throughout the county*
fel y lle am *as the place for*
gorau *best*
hyd yn oed *even*
siryf g. *sheriff*

Ymarferion

1. Chwiliwch am Geinewydd a Chwmtydu ar y map o Gymru.
2. Beth ydy tŷ unnos?
3. Sut mae Siôn yn cael yr enw "Siôn Cwilt"?
4. Pwy ydy cyfeillion Siôn?
5. Beth mae Siôn yn ei werthu? I bwy mae e'n ei werthu?
6. Ysgrifennwch frawddegau'n cynnwys y geiriau yma: adeiladu; mynd adre; bob amser; hyd yn oed; dangos; ardal.
7. Gwnewch eiriau cywir allan o'r llythrennau yma: ddroff; alldid; agefa; gecrar; gonwe.
8. Tynnwch lun cyfeillion Siôn yn cario'r casgenni o'r llong.
9. *Suppose a troop of soldiers surprise Siôn as he is unloading the contraband. Make up a play showing what happens.*
10. *If you were poor and had no home, it was a good idea to build a* tŷ unnos, *because if you succeeded you could keep both the house and the land it was built on. Imagine you are a builder and someone asks your advice on how to build a* tŷ unnos. *Write out a set of useful instructions.*

5
Guto Nyth Brân

Gruffydd Morgan – better known as Guto Nyth Brân – was a famous runner who lived in Llanwynno, near Pontypridd, Mid Glamorgan. He died in 1737, aged 37 years. Here are some of his exploits . . .

Yn Sir Forgannwg Ganol, ar y mynydd rhwng Pontypridd ac Aberdâr, mae pentref bach Llanwynno. Yno mae fferm o'r enw Nyth Brân, cartref Gruffydd Morgan – neu Guto Nyth Brân.

Mae Guto yn fachgen arbennig iawn. Mae e'n enwog am un peth – rhedeg yn gyflym. Mae e'n gallu rhedeg bob cam o Lanwynno i Aberdâr ac yn ôl cyn i'r tegell ferwi ar y tân.

Un dydd mae Guto ar y mynydd yn gofalu am y defaid. Mae'n bryd iddo fe gasglu'r defaid i'r gorlan, ond mae un ddafad yn rhedeg i ffwrdd. Mae'n rhaid i Guto redeg yn gyflym iawn i ddal y ddafad. O'r diwedd mae e'n llwyddo. Ond nid dafad ydy hi – ond ysgyfarnog!

Un tro mae Guto yn mynd i Ddyfed. Yno mae gŵr bonheddig yn herio Guto i redeg ras – yn erbyn dyn ar geffyl! I ffwrdd â nhw, dros fryniau a chaeau, dros bontydd ac afonydd. Mae'r ceffyl yn mynd yn gyflym – ond Guto sy'n ennill.

Mae gan Guto gariad, o'r enw Siân o'r Siop. Mae hi'n mynd gyda fe i bob ras. Un dydd mae Sais o'r enw Prince yn herio Guto i ras. Mae Prince yn rhedwr ardderchog, ac maen nhw'n mynd i redeg o Gasnewydd yng Ngwent i bentref Bedwas yn ymyl Caerffili. Mae llawer o bobl yn dod i weld y ras, ac wrth gwrs mae Siân o'r Siop yn dod hefyd.

"Un, dau, tri!" – ac i ffwrdd â nhw. Mae'r bobl yn gweiddi "Dewch Guto! Rhedwch Guto!" ond cyn bo hir mae Prince yn arwain yn hawdd – mae Guto byth a hefyd yn aros i siarad â chyfeillion! Nawr mae'r ras bron â gorffen, a Prince sy'n mynd i ennill. Mae'n rhaid i Guto frysio! Mae e'n dechrau rhedeg fel y gwynt. Mae e'n dal Prince . . . mae e'n mynd heibio . . . mae e'n ennill y ras! Mae e wedi rhedeg deuddeg milltir mewn pum deg tri munud.

O mae pawb yn hapus, mae pawb yn chwerthin a dawnsio a chanu. "Da iawn, Guto!" mae Siân yn gweiddi, a'i daro fe ar ei gefn. Ond yn sydyn mae Guto yn syrthio i'r llawr ac yn gorwedd yn llonydd, llonydd. Mae Guto Nyth Brân wedi rhedeg ei ras olaf.

Guto was buried in the churchyard at Llanwynno, where you can still see his grave.

Sir Forgannwg Ganol *Mid Glamorgan*
Aberdâr *Aberdare*
fferm (-ydd) b. *farm*
cartref (-i) g. *home*
neu *or*
arbennig *special*
peth (-au) g. *thing*
bob cam *all the way*
cyn i'r tegell ferwi *before the kettle boils*
gofalu am *to look after*
dafad (defaid) b. *sheep*
casglu *to collect, gather*
corlan (-nau) b. *fold*
llwyddo *to succeed*
nid dafad ydy hi *it isn't a sheep*
ysgyfarnog (-od) b. *hare*
un tro *on one occasion*
herio *to challenge*
ras (-ys) b. *race*
yn erbyn *against*
ceffyl (-au) g. *horse*
i ffwrdd â nhw *away they go*

bryn (-iau) g. *hill*
pont (-ydd) b. *bridge*
ennill *to win*
cariad *girl-friend*
rhedwr (rhedwyr) g. *runner*
Casnewydd *Newport (Gwent)*
Caerffili *Caerphilly*
wrth gwrs *of course*
gweiddi *to shout*
arwain *to lead*
hawdd *easy*
byth a hefyd *constantly*
bron â *nearly*
brysio *to hurry*
deuddeg *twelve*
milltir (-oedd) b. *mile*
pum deg tri *fifty-three*
munud (-au) g. *minute*
a'i daro fe *striking him*
ar ei gefn *on his back*
llonydd *still*
ei ras olaf *his last race*

Rhan o **Guto Nyth Brân**

Ysgafndroed fel 'sgyfarnog
A chwim oedd Guto enwog –
Yn wir, dywedir bod ei hynt
Yn gynt na'r gwynt na'r hebog.

Ac yno yn Llanwynno
Yr huna Guto eto;
Cyflymed oedd – ni all y llanc
Byth ddianc oddi yno.

I. D. Hooson

Ymarferion

1. Chwiliwch am Aberdâr a Phontypridd ar y map. Ble mae Llanwynno?
2. Pam mae Guto yn enwog?
3. Ble mae Guto yn rhedeg y ras yn erbyn Prince?
4. Sut mae Guto yn marw?
5. Ysgrifennwch frawddegau'n cynnwys y geiriau yma: arbennig; bob cam; mae'n rhaid; un tro; bron â; brysio.
6. Gwnewch eiriau cywir allan o'r llythrennau yma: ferrtac; leffyc; nyrb; lusgac; ddwah.
7. Tynnwch lun Guto'n dal yr ysgyfarnog, neu'n rhedeg yn erbyn y dyn ar y ceffyl, neu'n rhedeg yn erbyn Prince.
8. Casnewydd *is the Welsh name for Newport (Gwent).*
   a) Draw a map of Wales showing the names of the counties and the chief towns in Welsh.
   b) Draw a map of your own area, giving the Welsh names for the towns or districts that also have English names.
9. *Write the story of a race you have taken part in, or seen.*
10. *Imagine that Guto were alive today. One of his races is being shown on television, and the commentary, as often nowadays, is in Welsh. Write down the commentary as the commentator might give it as the race proceeds.*

6 Ŵyn Bach Melangell

Brochwel Ysgithrog, Prince of Powys, ruled his lands from Pengwern near the present-day town of Shrewsbury. In the year 604 he went hunting in the area of Llanfyllin, and there he met Melangell, the gentlest of saints . . . This is the story of Melangell and of her meeting with Brochwel.

Tywysoges hardd ydy Melangell, yn byw yn Iwerddon. Mae ei thad, y brenin, eisiau iddi hi briodi â dyn cyfoethog, ond merch dduwiol iawn ydy Melangell, a dydy hi ddim eisiau priodi o gwbl. Un noson mae hi'n dianc dros y môr i Gymru. Mae hi'n gwneud ei chartref yn y mynyddoedd ym Mhowys, ac yn gweddïo am oriau bob dydd. Ei hunig gyfeillion ydy'r adar a'r anifeiliaid.

Un dydd mae Brochwel Ysgithrog, Tywysog Powys, yn hela ar y mynydd. Mae'r cŵn bron â dal ysgyfarnog fach, ond yn sydyn mae'r ysgyfarnog yn diflannu.

Mae Brochwel yn chwilio ym mhob man, ond does dim golwg o'r ysgyfarnog.

O'r diwedd mae e'n dod i lannerch yn y coed. Yng nghanol y llannerch mae gwraig hardd yn gweddïo.

"Hei," ebe Brochwel, "ydych chi wedi gweld ysgyfarnog yn mynd heibio?"

Dydy'r wraig ddim yn ateb. Ond yn sydyn mae Brochwel yn gweld rhywbeth yn symud dan ei gwisg hi.

"Rydych chi'n cuddio'r ysgyfarnog!" mae e'n gweiddi. "Rhowch hi i mi!"

Yna mae'r wraig yn codi ei phen. "Mae'r creadur bach wedi dod i mi am loches," ebe hi yn dawel. "Chewch chi ddim gwneud niwed iddi hi."

Mae Brochwel yn digio. Mae e'n galw ar y cŵn: "Ewch, gŵn! Daliwch hi!"

Ond dydy'r cŵn ddim yn symud.

"Daliwch hi! Daliwch hi!"

Melangell a Brochwel: sgrîn yn eglwys Pennant Melangell

Ond mae'r cŵn yn dechrau symud yn ôl, yna troi a rhedeg i ffwrdd dan ubain.

Nawr mae ofn ar Brochwel. Mae e'n dod i lawr o gefn ei geffyl, ac yn gofyn: "Pwy ydych chi, wraig? Sut rydych chi wedi codi ofn ar y cŵn?"

"Melangell ydw i. Rydw i'n byw yma ers blynyddoedd, yn gweddïo ar Dduw ac yn gofalu am yr anifeiliaid bach."

"Santes ydych chi," ebe Brochwel. "Fi ydy Brochwel, Tywysog Powys, ac rydw i'n rhoi'r tir yma i chi i fod yn lloches i ddyn ac anifail am byth."

In the nearby village of Pennant Melangell there stands a church of Melangell to this day, and the grave of the saint is nearby. In that part of Powys hares are still known as ŵyn bach Melangell – *Melangell's little lambs.*

---

hardd *beautiful*
eisiau iddi hi briodi *wants her to marry*
duwiol *devout, godly*
dianc *to escape*
gweddïo (ar) *to pray (to)*
am oriau *for hours*
unig *only*
hela *to hunt*
ci (cŵn) g. *dog*
ym mhob man *everywhere*
does dim golwg o *there is no sight of*
llannerch (llennyrch) b. *glade*
canol g. *middle*
gwraig (gwragedd) b. *woman; wife*
rhywbeth *something*
symud *to move*
gwisg b. *dress*
creadur (-iaid) g. *creature*
lloches b. *sanctuary*
chewch chi ddim . . . *you shall not . . .*
gwneud niwed i *to harm*
digio *to get angry*
dan ubain *howling*
codi ofn ar *to frighten*
ers blynyddoedd *for (since) years*
Duw g. *God*
santes (-au) b. *saint (female)*
bod *to be*
am byth *for ever*

Ymarferion

1. Chwiliwch am Bennant Melangell ac Amwythig *(Shrewsbury)* ar y map.
2. Pwy oedd Melangell?
3. Sut mae Brochwel a Melangell yn cyfarfod?
4. Pam mae'r ysgyfarnog yn rhedeg at Melangell?

5. Pam mae Brochwel yn rhoi tir i Melangell?
6. Ysgrifennwch frawddegau'n cynnwys y geiriau yma: codi ofn ar; dianc; hela; eisiau; am byth; ym mhob man.
7. Gwnewch eiriau cywir allan o'r llythrennau yma: mydus; wggira; locan; fynog; ddrah.
8. Tynnwch lun Brochwel yn hela'r ysgyfarnog.
9. *Make up a play about Melangell's meeting with Brochwel.*
10. *Now Melangell has a sanctuary to look after, but she cannot keep the animals in order! She decides to draw up a book of rules. List the names of some animals, and write down some of the rules that Melangell might have made for them.*

7
Blodeuwedd

This story comes from the mediaeval Welsh prose classic, the Mabinogion. *Aranrhod has put a curse on the young prince Lleu that he shall never have a wife of the race that is now on earth. But the two wizards, Gwydion and Math, find a way of solving the problem . . .*

"Mae'n rhaid i ni wneud gwraig i Lleu allan o flodau," ebe Math. "Lleu ydy'r dyn hardda yn y byd, ac mae'n rhaid iddo fe gael y wraig hardda."

Yna mae Gwydion a Math yn mynd allan i gasglu blodau o bob math. Maen nhw'n gwneud gwraig allan o'r blodau, ac yn rhoi'r enw Blodeuwedd arni hi. Hi ydy'r wraig hardda yn y byd – ond dydy hi ddim yn ffyddlon.

Mae Lleu a Blodeuwedd yn priodi, ac yn mynd i fyw i gastell o'r enw Mur Castell. Ar y dechrau maen nhw'n hapus gyda'i gilydd.

Ond un dydd mae Lleu yn mynd i ffwrdd i weld Math, ac mae e'n gadael Blodeuwedd ym Mur Castell. Tua diwedd y dydd mae hi'n gweld helwyr yn mynd heibio, ac mae hi'n rhoi gwahoddiad iddyn nhw i gysgu'r nos yn y castell.

Arweinydd yr helwyr ydy Gronw Pebyr. Dyn hardd a chryf ydy e, ac mae e a Blodeuwedd yn syrthio mewn cariad yn y fan a'r lle. Maen nhw'n penderfynu lladd Lleu.

Mae eisiau gwaywffon arbennig iawn i ladd Lleu. Mae Gronw

Mur Castell (heddiw, Tomen-y-mur),
cartref Lleu a Blodeuwedd

yn cymryd blwyddyn gyfan i wneud y waywffon, ond o'r diwedd mae hi'n barod. Mae Gronw yn taro Lleu – ond dydy Lleu ddim yn marw fel pobl eraill. Mae e'n troi'n eryr ac yn hedfan i ffwrdd. Nawr mae Blodeuwedd a Gronw Pebyr yn gallu byw gyda'i gilydd ym Mur Castell.

Ond mae Gwydion y dewin yn clywed yr hanes, ac mae e'n mynd i chwilio am Lleu. Un dydd mae e'n gweld eryr yn eistedd mewn coeden. Mae e'n taro'r eryr â'i hudlath. A dyna Lleu wedi dod yn ôl!

I ffwrdd â Gwydion a Lleu i Fur Castell. Mae Blodeuwedd a'i morynion yn ceisio dianc; ond mae'r morynion i gyd yn syrthio i lyn mawr ac yn boddi.

Mae Gwydion yn dal Blodeuwedd, ond dydy e ddim yn ei lladd hi. Mae e'n ei throi hi yn dylluan. O hynny ymlaen mae hi'n byw mewn tywyllwch, ac mae'r adar eraill i gyd yn ei chasáu.

---

hardda *most beautiful*
byd (-oedd) g. *world*
o bob math *of every kind*
ffyddlon *faithful*
castell (cestyll) g. *castle*
gyda'i gilydd *together*
diwedd g. *end*
heliwr (helwyr) g. *huntsman*
gwahoddiad (-au) g. *invitation*
arweinydd (-ion) g. *leader*
lladd *to kill*
gwaywffon (gwaywffyn) b. *spear*
mae eisiau gwaywffon *a spear is needed*
cymryd *to take*
cyfan *entire*
blwyddyn (blynedd, blynyddoedd) b. *year*
parod *ready*
troi yn *to turn into*
eryr (-od) g. *eagle*
dewin (-iaid) g. *wizard*
hanes g. *story*
hudlath (-au) b. *magic wand*
ceisio *to try*
boddi *to drown*
ei lladd hi *kill her*
tylluan (-od) b. *owl*
o hynny ymlaen *from then on*
casáu *to hate*

Ymarferion

1. Chwiliwch am Fur Castell ar y map o Gymru.
2. Sut mae Gwydion a Math yn gwneud Blodeuwedd?
3. Sut mae Blodeuwedd a Gronw Pebyr yn cyfarfod?
4. Beth sy'n digwydd i Lleu?
5. Ysgrifennwch frawddegau'n cynnwys y geiriau yma: ffyddlon; gyda'i gilydd; cyfan; tua; troi yn; i gyd.
6. Gwnewch eiriau cywir allan o'r llythrennau yma: drymyc; shaen; drapo; llestac; thiorys.
7. Tynnwch lun y morynion yn boddi yn y llyn.
8. *Draw a simple strip-cartoon of the life of Blodeuwedd. Under each picture write a brief description of what is happening.*
9. *Make up a mime of the story of Lleu and Blodeuwedd, with instructions as to what each actor should do.*
10. *Count Frankenstein tried to make a beautiful person by taking the most beautiful bits of different people and putting them all together – but it didn't work out! Imagine you are Frankenstein. Write out the different parts of the body and make a shopping-list of where you are going to get them from. Then say how you would put them together.*

8
Llyn y Fan Fach

Near the village of Llanddeusant in Dyfed is the lake known as Llyn y Fan Fach. It is the site of an old and famous legend . . .

Ger Llanddeusant yn Nyfed mae dyn ifanc o'r enw Gwyn yn byw. Mae e'n ffermio'r tir o gwmpas Llyn y Fan Fach. Bob bore mae e'n arwain y defaid a'r gwartheg i'r llyn i bori.

Un dydd mae Gwyn yn gweld merch hardd yn eistedd ar ganol y llyn yn cribo ei gwallt. Mae e'n syrthio mewn cariad â hi.

Dyma fe'n cynnig darn o fara i'r ferch.

"Na, dydw i ddim yn hoffi eich bara," ebe'r ferch. "Mae e'n rhy sych." Ac mae hi'n diflannu dan y dŵr.

Trannoeth mae'r llanc yn cynnig darn o does i'r ferch. Ond dydy hi ddim yn hoffi'r toes chwaith.

"Mae eich bara yn rhy feddal," ebe hi.

Y bore wedyn dyma Gwyn eto wrth y llyn, a darn o fara ysgafn gyda fe. Y tro yma mae'r ferch yn cymryd y bara, ac mae Gwyn yn gofyn iddi hi ei briodi.

"Mae'n rhaid i chi ofyn i'm tad," ebe'r ferch.

Mae'r hen ŵr yn cytuno – ar un amod: os bydd Gwyn yn taro'r ferch dair gwaith heb achos, yna fe fydd hi'n dod yn ôl i'r llyn.

Ar ôl priodi mae'r ddau yn byw gyda'i gilydd yn hapus iawn. Ond un dydd maen nhw'n paratoi i fynd i fedydd.

"Ewch i nôl y ceffyl o'r cae," ebe Gwyn. "Brysiwch!" A dyma fe'n ei tharo hi'n ysgafn ar ei braich.

"Dyna chi wedi fy nharo i unwaith," ebe'r ferch.

Ymhen y flwyddyn maen nhw mewn priodas. Mae pawb arall yn chwerthin ac yn canu, ond llefain y mae'r ferch.

"Peidiwch â llefain mewn priodas!" ebe Gwyn, a'i tharo hi'n ysgafn ar ei hysgwydd.

"Dyna chi wedi fy nharo i ddwywaith," ebe'r ferch.

Ar ôl hyn mae Gwyn yn ofalus iawn. Mae amser yn mynd heibio; maen nhw'n cael plant, ac mae'r plant yn tyfu. Ond un dydd maen nhw mewn angladd. Mae pawb arall yn drist, ond mae gwraig Gwyn yn chwerthin yn braf. Mae Gwyn yn ei tharo hi'n ysgafn ar

Llyn y Fan Fach

ei chefn.

"Peidiwch â chwerthin mewn angladd!"

"Dyna chi wedi fy nharo i dair gwaith," ebe'r ferch, "a nawr mae'n rhaid i mi fynd yn ôl at fy nhad."

Yna mae hi'n codi ac yn cerdded i'r llyn, ac yn diflannu o dan y dŵr.

---

ger *near*
ffermio *to farm*
gwartheg ll. *cattle*
pori *to graze*
cribo *to comb*
cynnig *to offer*
darn (-au) g. *piece*
sych *dry*
llanc (-iau) g. *youth*
toes g. *dough*
meddal *soft*
y bore wedyn *the following morning*
ysgafn *light*
y tro yma *this time*
gofyn iddi hi ei briodi *asks her to marry him*
hen ŵr g. *old man*
cytuno *to agree*
amod (-au) b. *condition*
os *if*
tair gwaith *three times*
achos (-ion) g. *cause*
paratoi *to prepare*
bedydd g. *christening*
dyma fe'n ei tharo hi *he strikes her*
braich (breichiau) b. *arm*
unwaith *once*
ymhen y flwyddyn *a year later*
pawb arall *everyone else*
llefain *to cry*
ysgwydd (-au) b. *shoulder*
dwywaith *twice*
ar ôl hyn *after this*
gofalus *careful*
angladd (-au) gb. *funeral*
trist *sad*

Ymarferion

1. Chwiliwch am Landdeusant a Llyn y Fan Fach ar y map.
2. Sut fara mae Gwyn yn ei gynnig i'r ferch o'r llyn?
3. Pam mae Gwyn yn taro'r ferch dair gwaith?
4. Cyn cytuno i Gwyn briodi â'i ferch, mae'r tad yn gwneud un amod. Beth ydy'r amod?
5. Ble mae'r ferch yn mynd ar ôl i Gwyn ei tharo hi dair gwaith?
6. Ysgrifennwch frawddegau'n cynnwys y geiriau yma: canol; cynnig; y tro yma; paratoi; gofalus; tyfu.
7. Gwnewch eiriau cywir allan o'r llythrennau yma: chrabi; fysgna; otnyuc; sirtt; lltwag.
8. Tynnwch lun y ferch ar y llyn yn siarad â Gwyn.
9. *In the story the girl simply gets up and goes back to the lake. Nowadays the case would perhaps have to go through the divorce courts. Make a play of the court case between the two parties. As in a modern television play, you can include dramatic flash-backs of the events leading to the break-up.*
10. *No doubt the girl finds that life as a farmer's wife is very different from life under the lake. On her behalf, write a letter to her father describing her life on land.*

9
Branwen

Another story from the Mabinogion. The giant Bendigeidfran, king of Britain, has married his sister Branwen to Matholwch, king of Ireland. But from the very evening of the wedding feast troubles begin, due chiefly to the activities of the sinister Efnisien . . .

Y nos ar ôl y wledd roedd pawb yn cysgu'n drwm. Ond doedd Efnisien ddim yn cysgu. Fe gododd a mynd allan yn ddistaw at geffylau Matholwch. Fe dorrodd eu cynffonnau a'u clustiau a'u gweflau. Wedyn doedd y ceffylau yn dda i ddim.

Yn y bore fe welodd Matholwch y ceffylau, ac roedd e'n flin iawn. Roedd yn rhaid i Bendigeidfran roi ceffylau newydd iddo fe, ac anrhegion gwych eraill hefyd. O'r diwedd roedd Matholwch yn fodlon, ac fe hwyliodd dros y môr i Iwerddon gyda Branwen.

Am flwyddyn roedden nhw'n hapus iawn. Fe gafodd Branwen fab bach o'r enw Gwern. Fe roddodd hi lawer o anrhegion i'r Gwyddelod, ac roedd pawb yn ei hoffi hi.

Ond yna fe glywodd y Gwyddelod yr hanes am Efnisien a'r ceffylau, ac roedden nhw eisiau cosbi Branwen. Roedd yn rhaid iddi hi fynd i gegin y palas i weithio'n galed. A phob dydd roedd y cigydd yn rhoi bonclust iddi.

Ond roedd ofn Bendigeidfran ar y Gwyddelod, a doedden nhw ddim eisiau iddo fe glywed am gosb Branwen. Felly doedden nhw ddim yn gadael i neb hwylio o Iwerddon i Gymru. A doedd Branwen ddim yn gallu danfon neges i'w brawd i ofyn am help.

Ond un dydd fe ddaeth aderyn bach – drudwy – at Branwen yn y gegin, ac fe roddodd Branwen fwyd iddo fe. Bob dydd fe ddaeth y drudwy yn ôl, a phob yn dipyn fe ddysgodd Branwen iaith iddo fe. Ar ôl tair blynedd roedd y drudwy yn gallu deall pob gair. Yna fe ysgrifennodd Branwen lythyr i'w brawd. Fe ddododd hi'r llythyr dan adain y drudwy, a'i ddanfon dros y môr i Gymru i chwilio am Bendigeidfran.

Fe ddaeth y drudwy o hyd i Bendigeidfran yng Nghaernarfon. Fe ddisgynnodd ar ysgwydd y cawr a dangos y llythyr iddo.

Ar unwaith fe ddechreuodd Bendigeidfran baratoi llongau i fynd i Iwerddon i achub Branwen. Roedd e ei hun yn rhy fawr i fynd mewn llong, felly roedd yn rhaid iddo fe gerdded drwy'r môr.

Pan welodd y Gwyddelod Bendigeidfran yn dod, fe geision nhw ddianc drwy groesi afon Llinon ac yna torri'r bont. Ond fe ddywedodd Bendigeidfran, "A fo ben, bid bont." Yna fe orweddodd ar draws yr afon fel pont, ac fe groesodd y Cymry i'r ochr arall . . .

Bendigeidfran is victorious, but at terrible cost. He himself, Branwen, Matholwch, Gwern and Efnisien meet their deaths, together with almost the entire population of Ireland. And of the whole Welsh army only seven return alive to Wales.

---

trwm *heavy*
distaw *silent*
torri *to cut off; to break down*
cynffon (-nau) b. *tail*
gwefl (-au) b. *lip (of an animal)*
da i ddim *useless*
blin *sorry, angry*
anrheg (-ion) b. *present*
gwych *splendid*
bodlon *satisfied*
Gwyddel (-od) g. *Irishman*
roedd pawb yn ei hoffi hi *everybody liked her*

cosbi *to punish*
cigydd (-ion) g. *butcher*
bonclust (-iau) g. *box on the ears*
ddim eisiau iddo fe glywed *did not want him to hear*
cosb (-au) b. *punishment*
gadael i *to allow*
neges (-au) b. *message*
brawd (brodyr) g. *brother*
drudwy g. *starling*
bob yn dipyn *gradually*
iaith (ieithoedd) b. *language*
gair (geiriau) g. *word*

adain b. *wing*
dod o hyd i *to find*
disgyn *to descend*
cawr (cewri) g. *giant*
ar unwaith *at once*
achub *to save*
pan *when*
croesi *to cross*
afon Llinon *River Shannon*
"a fo ben, bid bont" *"he who would be head, let him be a bridge"*
ar draws *across*
ochr (-au) b. *side*

Ymarferion

1. *Draw a map of the British Isles. Mark in (in Welsh) the names of the various countries, the peoples who live there, and the languages they speak.*
2. Pam roedd yn rhaid i Bendigeidfran roi anrhegion i Matholwch?
3. Beth ddigwyddodd i Branwen yn Iwerddon?
4. Sut y croesodd y Cymry afon Llinon?
5. Ysgrifennwch frawddegau'n cynnwys y geiriau yma: ar unwaith; dod o hyd i; bob yn dipyn; iaith; brawd; trwm.
6. Gwnewch eiriau cywir allan o'r llythrennau yma: negic; chygw; alled; isboc; sidwat.
7. Tynnwch lun ceffyl. Ysgrifennwch i mewn yr enwau am y rhannau o'r corff *(the names for the different parts of its body).*
8. *Branwen has been teaching the starling Welsh for some time now, and she is giving it a test on words that every bird ought to know. The teacher, or one of the class, plays the part of Branwen, and the others play the part of the starling. By miming, pointing or drawing pictures, Branwen indicates the meaning required, and the starling responds by saying the word. Or Branwen says the word, and the starling indicates the meaning.*
9. *You are a reporter from a neutral country, and you have to prepare a report on Bendigeidfran's war in Ireland for the television news. Prepare a snappy summary of the events leading up to the conflict and how you expect the war to develop. You can turn this into a play by including interviews with the principal participants, and possibly some scenes from the action.*
10. *On Branwen's behalf, write a letter for the starling to carry to Bendigeidfran, explaining what has happened and asking for help.*

10
Owain Glyndŵr a Syr Lawrens Berclos

The revolt of Owain Glyndŵr is one of the great episodes in Welsh history, and Glyndŵr himself is regarded as one of the greatest of Welshmen. For a time he freed all Wales from its English overlords; he called the first Welsh parliament, established relations with foreign powers, and proposed to found two Welsh universities. Naturally enough, stories grew up around his name. Here is some of his history, and one of the stories . . .

Roedd Owain Glyndŵr yn byw tua'r flwyddyn 1400. Castell Sycharth, ger Llansilin yng Nghlwyd, oedd ei gartref.

Roedd y Saeson wedi gorchfygu Cymru, ac wedi adeiladu llawer o gestyll i gadw'r Cymry i lawr. O gwmpas y cestyll fe adeiladon nhw drefi. Yn y trefi roedd y Saeson yn byw – ac yn byw'n dda.

Sycharth, cartref Glyndŵr, fel y mae heddiw

Ond roedd yn rhaid i'r Cymry fyw y tu allan i'r trefi, ac roedden nhw'n dlawd iawn.

Roedd Glyndŵr eisiau newid hyn. Fe ddechreuodd e wrthryfel i yrru'r Saeson allan o Gymru.

Fe gurodd e'r Saeson dro ar ôl tro, a chymryd eu cestyll. Cyn bo hir doedd dim llawer o Saeson ar ôl yng Nghymru. Galwodd Glyndŵr Senedd ym Machynlleth, ac roedd e eisiau sefydlu dwy brifysgol yng Nghymru – un yn y Gogledd ac un yn y De. Fe gafodd ei goroni yn dywysog Cymru.

Roedd Owain Glyndŵr yn hoffi chwarae triciau ar y Saeson. Dyma hanes un o'i driciau.

Roedd Syr Lawrens Berclos, un o gefnogwyr Brenin Lloegr, yn byw yng Nghastell Coety, yn Nyffryn Ogwr. Un dydd dyma ddyn dieithr yn dod i'r castell.

"Oes croeso yma i ddyn blinedig?" meddai'r dyn dieithr yn Ffrangeg.

"Oes, mae croeso cynnes i chi," meddai Berclos.

Cyn bo hir roedd pawb yn hapus yn mwynhau'r cwmni. Roedd Syr Lawrens Berclos yn hael iawn ei groeso, ac roedd y dyn dieithr wrth ei fodd.

Ond o'r diwedd roedd yn bryd i'r dieithryn ymadael.

"Peidiwch â mynd eto," meddai Syr Lawrens. "Mae Owain Glyndŵr o gwmpas, ac rydyn ni'n siŵr o'i ddal e cyn bo hir. Peidiwch â mynd cyn ei weld e'n mynd i'r carchar."

Fe arhosodd y dieithryn bedair noson arall. Yna roedd yn rhaid iddo fynd. Wrth ymadael, dyma fe'n dweud:

"Mae Owain Glyndŵr yn diolch yn fawr i Syr Lawrens Berclos am ei groeso hael! Ac mae e'n addo ei gyfeillgarwch iddo am byth!"

Ond doedd Syr Lawrens ddim yn gallu ateb. Roedd e'n fud gan syndod. Ac fe arhosodd yn fud am weddill ei oes.

---

gorchfygu *to conquer*
y tu allan i *outside*
newid *to change*
hyn *this (pronoun)*
gwrthryfel (-oedd) g. *revolt*
gyrru *to drive*
curo *to beat*
dro ar ôl tro *time after time*
senedd (-au) b. *parliament*
sefydlu *to establish*

prifysgol (-ion) b. *university*
y Gogledd g. *the North, North Wales*
y De g. *the South, South Wales*
fe gafodd ei goroni *he was crowned*
chwarae triciau *to play tricks*
cefnogwr (cefnogwyr) g *supporter*
dyn dieithr g. *stranger*
croeso g. *welcome*
blinedig *tired*
meddai *said*

Ffrangeg *French*
cynnes *warm*
mwynhau *to enjoy*
cwmni g. *company*
hael *generous*
hael ei groeso *generous in his welcome*
wrth ei fodd *happy, contented*
dieithryn g. *stranger*
ymadael *to depart*
eto *yet*
siŵr o *sure to*
ei ddal e *to catch him*
cyn ei weld *before seeing him*
mynd i'r carchar *to go to jail*
diolch yn fawr *to thank greatly*
addo *to promise*
cyfeillgarwch g. *friendship*
mud *dumb*
gan syndod *with amazement*
am weddill ei oes *for the rest of his life*

Ymarferion

1. Chwiliwch am Sycharth, Machynlleth a Chastell Coety ar y map.
2. Pam roedd Owain Glyndŵr yn ymladd yn erbyn y Saeson?
3. Pwy oedd Syr Lawrens Berclos?
4. Oes castell yn agos i'ch cartref chi? Ble?
5. Ysgrifennwch frawddegau'n cynnwys y geiriau yma: mwynhau; y Gogledd; y De; wrth ei fodd; siŵr o; curo.
6. Gwnewch eiriau cywir allan o'r llythrennau yma: oresoc; sencyn; groell; neddes; ddoa.
7. Tynnwch lun Glyndŵr yn ymladd.
8. *Draw a map of Wales, and mark in the castles you know of, giving their Welsh names.*
9. *Make up a play about Glyndŵr visiting Castell Coety, and the welcome he receives there.*
10. *Imagine that you are one of the members chosen to attend Glyndŵr's Parliament. Prepare a speech outlining some of the things you think the Parliament should try to do for Wales.*

Castell Coety, cartref Syr Lawrens Berclos

Geirfa

â *with*
Aberdâr *Aberdare*
achos (-ion) g. *cause*
achub *to save*
adain b. *wing*
adeiladu *to build*
aderyn (adar) g. *bird*
adre *homewards*
addo *to promise*
afon (-ydd) b. *river;* **afon Llinon** *River Shannon*
angladd (-au) gb. *funeral*
allan *out*
amod (-au) gb. *condition*
amser (-au) g. *time;* **bob amser** *always;* **ymhen amser** *after a time*
anifail (anifeiliaid) g. *animal*
anrheg (-ion) b. *present*
ar *on;* **ar ben** *on top of; finished;* **ar draws** *across*
arall (eraill) *other*
arbennig *special*
ardal (-oedd) b. *district*
ardderchog *excellent*
arian ll. *money;* **arian mawr** *a lot of money*
aros *to wait, stop, stay*
arwain *to lead*
arweinydd (-ion) g. *leader*
atal *to stop, prevent*
ateb *to answer*

bach *little*
bachgen (bechgyn) g. *boy*
bara g. *bread*
basn (-au) g. *basin*
bedydd g. *baptism*
berwi *to boil*
beth bynnag *anyway*
blin *sorry, angry*
blinedig *tired*
blino *to get tired;* **wedi blino'n lân** *tired out*
blodyn (blodau) g. *flower*
blwyddyn (blynedd, blynyddoedd) b. *year*
bob yn dipyn *gradually*
bodlon *content, satisfied*
boddi *to drown*
bonclust (-iau) g. *box on the ears*
bore (-au) g. *morning;* **y bore wedyn** *the following morning*
braf *fine; heartily*
braich (breichiau) b. *arm*
brawd (brodyr) g. *brother*
brenhines (breninesau) b. *queen*
brenin (brenhinoedd) g. *king*
bron (â) *nearly*
bryn (-iau) g. *hill*
brysio *to hurry*
bwthyn (bythynnod) g. *cottage*
bwyd g. *food*
byd g. *world*
byth *ever;* **am byth** *for ever;* **byth a hefyd** *continually*
byw *to live*

cadw *to keep*
cae (-au) g. *field*
cael *to get, have*
Caerffili *Caerphilly*
caled *hard*
cam (-au) g. *step;* **bob cam** *all the way*
canol g. *middle*
canu *to sing;* **canu'r delyn** *to play the harp*
carchar (-au) g. *prison*
cariad g. *love*
cariad (-on) gb. *girl/boy-friend*
cario *to carry*
carreg (cerrig) b. *stone*
cartref (-i) g. *home*
casáu *to hate*
casgen (-ni) b. *barrel*
casglu *to collect, gather*
Casnewydd *Newport (Gwent)*
castell (cestyll) g. *castle*
cawr (cewri) g. *giant*
cefn (-au) g. *back*
cefnogwr (cefnogwyr) g. *supporter*
ceffyl (-au) g. *horse*
cegin (-au) b. *kitchen*
Ceinewydd *New Quay*
ceisio *to try, to seek*
cerdded *to walk*
cigydd (-ion) g. *butcher*
clust (-iau) b. *ear*
clwt (clytiau) g. *patch*
clytiog *patched*
clywed *to hear*
codi *to rise; to lift; to get up*
coeden (coed) b. *tree;* **coeden wag** *a hollow tree*
corlan (-nau) b. *fold*
cornel (-au) b. *corner*
coroni *to crown*
cosb (-au) b. *punishment*
cosbi *to punish*
creadur (-iaid) g. *creature*
creulon *cruel*
cribo *to comb*
croesi *to cross*
croeso g. *welcome*
cryf *strong*
cuddio *to hide*
curo *to beat*
cwilt (-iau) g. *quilt*
cwmni g. *company*
cŵn (un. **ci**) g. *dogs*
cychwyn *to set out*
cyfaill (cyfeillion) g. *friend*
cyfan, mae'r cyfan ar ben *it is all over*
cyfarfod *to meet*
cyfeillgarwch g. *friendship*
cyflym *fast*
cyfoethog *rich*
Cymro (Cymry) g. *Welshman*
Cymru b. *Wales*
cymryd *to take*
cyn *before;* **cyn hir, cyn bo hir** *before long*
cynffon (-nau) b. *tail*
cynnal *to hold (an event)*
cynnes *warm*
cynnig *to offer*
cyrraedd *to reach, arrive at*
cysgu *to sleep*
cytuno *to agree*

chwaith *either*
chwarae *to play*
chwerthin *to laugh*
chwilio (am) *to search (for)*
chwythu *to blow*

da *good;* **yn dda** *well;* **da i ddim** *useless*
dafad (defaid) b. *sheep*
dal *to catch; to hold*
dan *under*
danfon *to send*
dangos *to show*
darn (-au) g. *piece*
dathlu *to celebrate*
dau *two*
dawnsio *to dance*
y De g. *the South, South Wales*
deall *to understand*
dechrau *to begin*
deffro *to wake up*
deilen (dail) b. *leaf;* **deilen sycamorwydden** *sycamore leaf*
deuddeg *twelve*
dewin (-iaid) g. *wizard*
dial g. *vengeance*
dianc *to escape*
dieithryn (dieithriaid) g. *stranger*
diflannu *to disappear*
digio *to get angry*
digwydd *to happen*
dilyn *to follow*
dillad ll. *clothes*
dim byd *nothing at all*
dim ond *only*
diolch *to thank*
disgyn *to descend*
distaw *silent;* **yn ddistaw bach** *quietly and secretly*

diwedd g. *end;* **o'r diwedd** *at last*
diwrnod (-au) g. *day*
dod *to come;* **dod yn** *to become;* **dod o hyd i** *to find*
dodi *to place, to put*
dros *over*
drudwy g. *starling*
drwg *bad, evil*
Duw g. *God*
duwiol *devout*
dweud (wrth) *to say, to tell*
dŵr (dyfroedd) g. *water*
dwy *two*
dwywaith *twice*
dydd (-iau) g. *day*
dyffryn (-noedd) g. *valley*
dyn (-ion) g. *man;* **dyn dieithr** *stranger*
dysgu *to teach, learn*

ebe *says*
edrych *to look*
eisiau *want*
eistedd *to sit*
ennill *to win*
enw (-au) g. *name;* **o'r enw** *by the name of*
enwog *famous*
eraill (un. **arall)** *other*
ers *since*
eryr (-od) g. *eagle*
esbonio *to explain*
eto *yet; again*

fan, yn y fan a'r lle *on the spot*
fel *like, as*
felly *so; of this kind*

ffenestr (-i) b. *window*
fferm (-ydd) b. *farm*
ffermio *to farm*
ffordd (ffyrdd) b. *way*
Ffrangeg b. *French (language)*
Ffrainc b. *France*
i ffwrdd *away;* **i ffwrdd â nhw** *off they go*
ffyddlon *faithful*

gadael *to leave;* **gadael i** *to allow*
gaeaf (-au) g. *winter*
gair (geiriau) g. *word*
galw (ar) *to call*
gallu *to be able*
gardd (gerddi) b. *garden*
ger *near*
glan y môr *seaside*
glaw g. *rain*
gofalu (am) *to take care (of)*
gofalus *careful*
gofyn *to ask*
y Gogledd g. *the North, North Wales*
golwg, does dim golwg o *there is no sight of*
gorau *best*
gorchfygu *to conquer*
gorfod *to have to*
gorffen *to finish*
gorffwys *to rest*
gorwedd *to lie*
grug ll. *heather*
gwaed g. *blood*
gwag *empty, hollow*
gwahoddiad (-au) g. *invitation*
gwaith, tair gwaith *three times*
gwallt g. *hair*
gwan *weak;* **gwannach** *weaker*
gwartheg ll. *cattle*
gwaywffon (gwaywffyn) b. *spear*
gweddill (-ion) g. *rest;* **gweddill ei oes** *the rest of his life*
gweddïo (ar) *to pray (to)*
gwefl (-au) b. *lip (of an animal)*
gweiddi *to shout*
gweithio *to work*
gweithiwr (gweithwyr) g. *worker*
gweld *to see*
gwely (-au) g. *bed;* **gwely angau** *death bed*
gwella *to cure, to get better*
gwerthu *to sell*
gwin (-oedd) g. *wine*
gwir *true;* **y gwir** *the truth;* **yn wir** *indeed*
gwisg (-oedd) b. *dress*
gwisgo *to dress, to wear*
gwlad (gwledydd) b. *country*
gwledd (-oedd) b. *feast*
gwneud *to make, to do*
gŵr (gwŷr) g. *man;* **gŵr bonheddig** *gentleman*
gwraig (gwragedd) b. *woman; wife*
gwrthryfel (-oedd) g. *revolt*
gwych *splendid*
Gwyddel (-od) g. *Irishman*
gwynt (-oedd) g. *wind*
gyda'i gilydd *together*
gyrru *to drive*

hael *generous*
hanes g. *story*
hanner *half;* **hanner nos** *midnight*
hapus *happy*
hardd *beautiful;* **hardda** *most beautiful*
hawdd *easy*
heb *without*
hedfan *to fly*
heddwch g. *peace*
hefyd *also, as well*
heibio (i) *past*
hela *to hunt*
heliwr (helwyr) g. *huntsman*
helpu *to help*
hen *old*
herio *to challenge*
hir *long*
hofran *to hover*
hoffi *to like*
hudlath (-au) b. *magic wand*
hun, ei hun *him/herself; his/her own*
hwylio *to sail*
hyd yn oed *even*
hydref g. *Autumn*
hyfryd *pleasant*
hyn *these (adj); this (pronoun)*
hynny *those (adj); that (pronoun);* **o hynny ymlaen** *from then on*

i fyny *up*
i gyd *all*
i lawr *down*
i mewn *into*
iaith (ieithoedd) b. *language*
iawn *very*
ifanc *young*
inc g. *ink*
Indiaid Cochion g. *Red Indians*
Iwerddon b. *Ireland*

lamp (-au) b. *lamp*

lladd *to kill*
llais (lleisiau) g. *voice*
llanc (-iau) g. *lad*
llannerch (llennyrch) b. *glade*
llawer *many, many a*
llawr g. *ground, floor*
lle (-oedd) g. *place*
llefain *to cry*
lliw (-iau) g. *colour*
lloches (-au) b. *sanctuary*
Lloegr b. *England*
llong (-au) b. *ship*
llonydd *still*
llwyd *grey, pale*
llwyddo *to succeed*
llyn (-noedd) g. *lake*
llythyr (-on) g. *letter*

mab (meibion) g. *son*
mam (-au) b. *mother*
marchogaeth *to ride*
marw *to die*
math (-au) g. *sort*
mawr *big*
meddai *said*
meddal *soft*
meddyg (-on) g. *doctor*
merch (-ed) b. *girl; daughter*
mewn *in*
milltir (-oedd) b. *mile*
mis (-oedd) g. *month*
môr (moroedd) g. *sea*
morwr (morwyr) g. *sailor*

morwyn (morynion) b. *maid*
mud *dumb*
munud (-au) gb. *minute*
mwynhau *to enjoy*
mynd *to go;* **mynd yn** *to become;* **mynd heibio i** *to go past, to overtake*
mynydd (-oedd) g. *mountain*

na *neither, nor, no*
naw *nine*
nawr *now*
neb *no one, anyone*
neges (-au) b. *message*
neu *or*
newid *to change*
newydd *new*
niwed g. *harm*
nofio *to swim, float*
nôl *to fetch*
nos (-au) b. *night*
noson (nosweithiau) b. *evening, night*

o gwbl *at all*
o gwmpas *around*
o hyd *continually*
o'r blaen *before*
ochr (-au) b. *side*
ofn (-au) g. *fear;* **codi ofn (ar)** *to frighten;* **mae ofn x ar y** *y is afraid of x*
ogof (-eydd) b. *cave*
olaf *last*
ond *but*
oriau (un. **awr**) b. *hours*
os *if*

palas (-au) g. *palace*
pam *why*
pan *when*
papur g. *paper*
paratoi *to prepare*
parod *ready;* **yn barod** *already*
pawb *everyone;* **pawb arall** *everyone else*
pedair *four*
peidio, peidiwch â *don't*
pen (-nau) g. *head;* **pen y mynydd** *the mountain top*
penderfynu *to decide*
pentref (-i) g. *village*
peth (-au) g. *thing*
plant (un. **plentyn**) g. *child*
pob *every*
pobl b. *people*
poeni *to worry*
pont (-ydd) b. *bridge*
pori *to graze*
prifysgol (-ion) b. *university*
priodas (-au) b. *marriage, wedding*
priodi (â) *to marry*
pryd, mae'n bryd iddo *it is time for him to*
prynu *to buy*
pum deg tri *fifty-three*
pwy *who*

ras (-ys) b. *race*

rhai *some*
rhaid, mae'n rhaid iddo *he must*
rhedeg *to run*
rhedwr (rhedwyr) g. *runner*
rhoi *to give; to put*
rhostir (-oedd) g. *moorland*
rhwng *between*
rhy *too*
rhyw *some, a certain*
rhywbeth *something*
rhywun *somebody*

Sais (Saeson) g. *Englishman*
sâl *ill*
santes (-au) b. *saint (female)*
sefydlu *to set up*
senedd (-au) b. *parliament*
siâp b. *shape*
siarad (â) *to talk (to)*
sibrwd *to whisper*
sir (-oedd) b. *county;* **Sir Forgannwg Ganol** *Mid Glamorgan*
siryf g. *sheriff*
siŵr *sure;* **siŵr o** *sure to*
stori (storïau) b. *story*
sut *how*
sŵn (synau) g. *sound*
sycamorwydden (sycamorwydd) b. *sycamore*
sych *dry*
sydyn *sudden*
symud *to move*
syndod, gan syndod *with amazement*
syrthio *to fall*

tad (-au) g. *father*
tair *three*
tair ar ddeg *thirteen*
talu *to pay*
tân (tanau) g. *fire*
taro *to strike*
tawel *quiet*
tegell (-au) g. *kettle*
telyn (-au) b. *harp*
telynor (-ion) g. *harpist*
tir (-oedd) g. *land*
tlawd *poor*
to (toeau) g. *roof;* **to gwellt** *thatched roof*
toes g. *dough*
torri *to cut off; to break*
traeth (-au) g. *beach*
trannoeth *the following day;* **bore trannoeth** *the following morning*
tref (-i) b. *town*
tri *three*
tric (-iau) g. *trick*
trist *sad*
tro g. *time, occasion;* **un tro** *once;* **y tro yma** *this time;* **dro ar ôl tro** *time after time*
troi *to turn;* **troi yn** *to turn into*
trwm *heavy*
trwy *through; throughout*
y tu allan i *outside*
tua *towards;* **tua hanner nos** *about midnight*
twt lol! *nonsense!*
tŷ (tai) g. *house;* **tŷ unnos** *a house built in a day and a night*
tyfu *to grow*
tylluan (-od) b. *owl*
tynnu *to pull;* **tynnu dillad** *to undress*
tywydd g. *weather*
tywyllwch g. *darkness*
tywysog (-ion) g. *prince*
tywysoges (-au) b. *princess*

ubain *to howl*
uchel *high; loud*
un *one*
unig *only*
unwaith *once;* **ar unwaith** *at once*
uwch *higher;* **uwch ei ben** *above his head*

wedi *after*
wedyn *then; next*
wrth *by;* **wrth ei fodd** *pleased, contented;* **wrth gwrs** *of course*
wyneb (-au) g. *face; surface*
ŵyr g. *grandson*

ym mhob man *everywhere*
ymadael *to depart*
ymhen y flwyddyn *in a year's time*
ymladd *to fight*
yn erbyn *against*
yn ôl *back; ago*
yn ymyl *near, beside*
yna *then*
yno *there*
ysgafn *light*
ysgrifennu *to write*
ysgwydd (-au) b. *shoulder*
ysgyfarnog (-od) b. *hare*

Diolchiadau

Rydyn ni'n ddyledus i:

Robin Gwyndaf, Amgueddfa Werin Cymru, am ei gymorth wrth baratoi'r testun
Bernard Williams am ddarparu'r map
Gwasg Gee (perchnogion yr hawlfraint) am ganiatâd i ddyfynnu o "Guto Nyth Brân" allan o *Cerddi a Baledi* gan I. D. Hooson
Amgueddfa Werin Cymru am y llun ar dudalen 11
Comisiwn Brenhinol Henebion yng Nghymru am y lluniau ar dudalennau 16, 26 a 28
Casgliad Prifysgol Caergrawnt am y llun ar dudalen 19
Y Gorfforaeth Ddarlledu Brydeinig am y llun ar dudalen 22 a'r manylyn ar dudalen 25
Llyfrgell Genedlaethol Cymru am y llun o Lyn Tegid ar y clawr.

Cyhoeddwyd y llyfr hwn dan nawdd
Awdurdod Addysg Morgannwg Ganol
fel rhan o Gynllun Llyfrau Cymraeg
Cyd-bwyllgor Addysg Cymru.

Cyhoeddwyd 1976 gan Wasg y Dref Wen,
28 Ffordd yr Eglwys,
Yr Eglwys Newydd, Caerdydd CF14 2EA
Ffôn 029 20617860

Argraffwyd ym Mhrydain.

ISBN 0 904910 17 2

Adargraffwyd 1977, 1979, 1982, 1989, 1994, 2001.